This Book Belongs to

_____

Published by Ars Edition
for the Goebel Collectors' Club
© 1985 Ars Edition
© 1985 Goebel

Printed in West Germany

My M.J. Hummel Collection

Some Goebel trademark designations to help the collector know when each collectible was produced:

❶ = *Crown* — 1935–1949

❷ = *Full Bee* — 1949–1959

❸ = *Stylized* — 1960–1963

❹ = © by W. Goebel W. Germany — *Three Line* — 1964–1972

❺ = Goebel — *Goebel Bee* — 1972–1979

❻ = Goebel® — current

This unique registry has been
created for you to record those
special gifts and purchases of your
"M. I. Hummel" collectibles.
Filled with photos of some of your
favorite figurines, it will give
you an attractive and lasting record
of your own colletion's history.
The Goebel Collectors' Club
hopes this renewal gift will bring
you much enjoyment and
pleasure.

Easter Time   HUM 384

Figurine	
Hum No.	Size
Price	TMK
Notes	

Figurine	
Hum No.	Size
Price	TMK
Notes	

Figurine	
Hum No.	Size
Price	TMK
Notes	

Figurine	
Hum No. _____	Size _____
Price _____	TMK _____
Notes _____
_____
_____
_____

Figurine	
Hum No. _____	Size _____
Price _____	TMK _____
Notes _____
_____
_____
_____

Figurine	
Hum No. _____	Size _____
Price _____	TMK _____
Notes _____
_____
_____
_____

Figurine _____
Hum No. _____ Size _____
Price _____ TMK _____
Notes _____
_____
_____
_____

Figurine _____
Hum No. _____ Size _____
Price _____ TMK _____
Notes _____
_____
_____
_____

Figurine _____
Hum No. _____ Size _____
Price _____ TMK _____
Notes _____
_____
_____
_____

Figurine	
Hum No.	Size
Price	TMK
Notes	

Figurine	
Hum No.	Size
Price	TMK
Notes	

Figurine	
Hum No.	Size
Price	TMK
Notes	

The Artist   HUM 304

Figurine _____
Hum No. _____ Size _____
Price _____ TMK _____
Notes _____
_____
_____
_____

Figurine _____
Hum No. _____ Size _____
Price _____ TMK _____
Notes _____
_____
_____
_____

Figurine _____
Hum No. _____ Size _____
Price _____ TMK _____
Notes _____
_____
_____
_____

Figurine	
Hum No.	Size
Price	TMK
Notes	

Figurine	
Hum No.	Size
Price	TMK
Notes	

Figurine	
Hum No.	Size
Price	TMK
Notes	

Figurine _____
Hum No. _____ Size _____
Price _____ TMK _____
Notes _____
_____
_____
_____

Figurine _____
Hum No. _____ Size _____
Price _____ TMK _____
Notes _____
_____
_____
_____

Figurine _____
Hum No. _____ Size _____
Price _____ TMK _____
Notes _____
_____
_____
_____

Happy Birthday   HUM 176

Figurine	
Hum No. _____	Size _____
Price _____	TMK _____
Notes _____
_____
_____
_____

Figurine	
Hum No. _____	Size _____
Price _____	TMK _____
Notes _____
_____
_____
_____

Figurine	
Hum No. _____	Size _____
Price _____	TMK _____
Notes _____
_____
_____
_____

Figurine	
Hum No.	Size
Price	TMK
Notes	

Figurine	
Hum No.	Size
Price	TMK
Notes	

Figurine	
Hum No.	Size
Price	TMK
Notes	

Figurine	
Hum No. _____	Size _____
Price _____	TMK _____
Notes _____	

Figurine	
Hum No. _____	Size _____
Price _____	TMK _____
Notes _____	

Figurine	
Hum No. _____	Size _____
Price _____	TMK _____
Notes _____	

Little Tailor　HUM 308

Figurine	
Hum No.	Size
Price	TMK
Notes	

Figurine	
Hum No.	Size
Price	TMK
Notes	

Figurine	
Hum No.	Size
Price	TMK
Notes	

Figurine	
Hum No.	Size
Price	TMK
Notes	

Figurine	
Hum No.	Size
Price	TMK
Notes	

Figurine	
Hum No.	Size
Price	TMK
Notes	

Figurine	
Hum No.	Size
Price	TMK
Notes	

Figurine	
Hum No.	Size
Price	TMK
Notes	

Figurine	
Hum No.	Size
Price	TMK
Notes	

Bookworm   HUM 3

Figurine	
Hum No. _____	Size _____
Price _____	TMK _____
Notes _____

Figurine	
Hum No. _____	Size _____
Price _____	TMK _____
Notes _____

Figurine	
Hum No. _____	Size _____
Price _____	TMK _____
Notes _____

Figurine _____
Hum No. _____ Size _____
Price _____ TMK _____
Notes _____
_____
_____
_____

Figurine _____
Hum No. _____ Size _____
Price _____ TMK _____
Notes _____
_____
_____
_____

Figurine _____
Hum No. _____ Size _____
Price _____ TMK _____
Notes _____
_____
_____
_____

Figurine	
Hum No. _____	Size _____
Price _____	TMK _____
Notes _____
_____
_____
_____

Figurine	
Hum No. _____	Size _____
Price _____	TMK _____
Notes _____
_____
_____
_____

Figurine	
Hum No. _____	Size _____
Price _____	TMK _____
Notes _____
_____
_____
_____

Little Gardener   HUM 74

Figurine _____
Hum No. _____ Size _____
Price _____ TMK _____
Notes _____
_____
_____
_____

Figurine _____
Hum No. _____ Size _____
Price _____ TMK _____
Notes _____
_____
_____
_____

Figurine _____
Hum No. _____ Size _____
Price _____ TMK _____
Notes _____
_____
_____
_____

Figurine	
Hum No.	Size
Price	TMK
Notes	

Figurine	
Hum No.	Size
Price	TMK
Notes	

Figurine	
Hum No.	Size
Price	TMK
Notes	

Figurine _____
Hum No. _____ Size _____
Price _____ TMK _____
Notes _____
_____
_____
_____

Figurine _____
Hum No. _____ Size _____
Price _____ TMK _____
Notes _____
_____
_____
_____

Figurine _____
Hum No. _____ Size _____
Price _____ TMK _____
Notes _____
_____
_____
_____

Going to Grandma's   HUM 52

Figurine	
Hum No.	Size
Price	TMK
Notes	

Figurine	
Hum No.	Size
Price	TMK
Notes	

Figurine	
Hum No.	Size
Price	TMK
Notes	

Figurine _____
Hum No. _____ Size _____
Price _____ TMK _____
Notes _____
_____
_____
_____

Figurine _____
Hum No. _____ Size _____
Price _____ TMK _____
Notes _____
_____
_____
_____

Figurine _____
Hum No. _____ Size _____
Price _____ TMK _____
Notes _____
_____
_____
_____

Figurine	
Hum No.	Size
Price	TMK
Notes	

Figurine	
Hum No.	Size
Price	TMK
Notes	

Figurine	
Hum No.	Size
Price	TMK
Notes	

March Winds HUM 43

Figurine	
Hum No. _____	Size _____
Price _____	TMK _____
Notes _____
_____
_____

Figurine	
Hum No. _____	Size _____
Price _____	TMK _____
Notes _____
_____
_____

Figurine	
Hum No. _____	Size _____
Price _____	TMK _____
Notes _____
_____
_____

Figurine _____
Hum No. _____ Size _____
Price _____ TMK _____
Notes _____
_____
_____
_____

Figurine _____
Hum No. _____ Size _____
Price _____ TMK _____
Notes _____
_____
_____
_____

Figurine _____
Hum No. _____ Size _____
Price _____ TMK _____
Notes _____
_____
_____
_____

Figurine	
Hum No.	Size
Price	TMK
Notes	

Figurine	
Hum No.	Size
Price	TMK
Notes	

Figurine	
Hum No.	Size
Price	TMK
Notes	

Homeward Bound   HUM 334

Figurine _____
Hum No. _____ Size _____
Price _____ TMK _____
Notes _____
_____
_____
_____

Figurine _____
Hum No. _____ Size _____
Price _____ TMK _____
Notes _____
_____
_____
_____

Figurine _____
Hum No. _____ Size _____
Price _____ TMK _____
Notes _____
_____
_____
_____

Figurine _____
Hum No. _____ Size _____
Price _____ TMK _____
Notes _____
_____
_____
_____

Figurine _____
Hum No. _____ Size _____
Price _____ TMK _____
Notes _____
_____
_____
_____

Figurine _____
Hum No. _____ Size _____
Price _____ TMK _____
Notes _____
_____
_____
_____

Wayside Devotion   HUM 28

Figurine	
Hum No. _____	Size _____
Price _____	TMK _____
Notes _____	

Figurine	
Hum No. _____	Size _____
Price _____	TMK _____
Notes _____	

Figurine	
Hum No. _____	Size _____
Price _____	TMK _____
Notes _____	

Figurine _____
Hum No. _____ Size _____
Price _____ TMK _____
Notes _____
_____
_____
_____

Figurine _____
Hum No. _____ Size _____
Price _____ TMK _____
Notes _____
_____
_____
_____

Figurine _____
Hum No. _____ Size _____
Price _____ TMK _____
Notes _____
_____
_____
_____

Figurine	
Hum No. _____	Size _____
Price _____	TMK _____
Notes _____
_____
_____
_____

Figurine	
Hum No. _____	Size _____
Price _____	TMK _____
Notes _____
_____
_____
_____

Figurine	
Hum No. _____	Size _____
Price _____	TMK _____
Notes _____
_____
_____
_____

A Fair Measure   HUM 345

Figurine	
Hum No. _____	Size _____
Price _____	TMK _____
Notes _____
_____
_____
_____

Figurine	
Hum No. _____	Size _____
Price _____	TMK _____
Notes _____
_____
_____
_____

Figurine	
Hum No. _____	Size _____
Price _____	TMK _____
Notes _____
_____
_____
_____

Figurine _____
Hum No. _____ Size _____
Price _____ TMK _____
Notes _____
_____
_____
_____

Figurine _____
Hum No. _____ Size _____
Price _____ TMK _____
Notes _____
_____
_____
_____

Figurine _____
Hum No. _____ Size _____
Price _____ TMK _____
Notes _____
_____
_____
_____

Figurine	
Hum No. _____	Size _____
Price _____	TMK _____
Notes _____
_____
_____
_____

Figurine	
Hum No. _____	Size _____
Price _____	TMK _____
Notes _____
_____
_____
_____

Figurine	
Hum No. _____	Size _____
Price _____	TMK _____
Notes _____
_____
_____
_____

Figurine _____
Hum No. _____ Size _____
Price _____ TMK _____
Notes _____
_____
_____

Figurine _____
Hum No. _____ Size _____
Price _____ TMK _____
Notes _____
_____
_____

Figurine _____
Hum No. _____ Size _____
Price _____ TMK _____
Notes _____
_____
_____

Little Bookkeeper   HUM 306

Figurine _____
Hum No. _____ Size _____
Price _____ TMK _____
Notes _____
_____
_____
_____

Figurine _____
Hum No. _____ Size _____
Price _____ TMK _____
Notes _____
_____
_____
_____

Figurine _____
Hum No. _____ Size _____
Price _____ TMK _____
Notes _____
_____
_____
_____

Figurine	
Hum No. _____	Size _____
Price _____	TMK _____
Notes _____
_____
_____
_____

Figurine	
Hum No. _____	Size _____
Price _____	TMK _____
Notes _____
_____
_____
_____

Figurine	
Hum No. _____	Size _____
Price _____	TMK _____
Notes _____
_____
_____
_____

Figurine	
Hum No.	Size
Price	TMK
Notes	

Figurine	
Hum No.	Size
Price	TMK
Notes	

Figurine	
Hum No.	Size
Price	TMK
Notes	

Just Resting   HUM 112

Figurine	
Hum No. _____	Size _____
Price _____	TMK _____
Notes _____
_____
_____

Figurine	
Hum No. _____	Size _____
Price _____	TMK _____
Notes _____
_____
_____

Figurine	
Hum No. _____	Size _____
Price _____	TMK _____
Notes _____
_____
_____

Figurine _____
Hum No. _____ Size _____
Price _____ TMK _____
Notes _____
_____
_____
_____

Figurine _____
Hum No. _____ Size _____
Price _____ TMK _____
Notes _____
_____
_____
_____

Figurine _____
Hum No. _____ Size _____
Price _____ TMK _____
Notes _____
_____
_____
_____

Figurine	
Hum No.	Size
Price	TMK
Notes	

Figurine	
Hum No.	Size
Price	TMK
Notes	

Figurine	
Hum No.	Size
Price	TMK
Notes	

The Photographer   HUM 178

Figurine _____
Hum No. _____ Size _____
Price _____ TMK _____
Notes _____
_____
_____
_____

Figurine _____
Hum No. _____ Size _____
Price _____ TMK _____
Notes _____
_____
_____
_____

Figurine _____
Hum No. _____ Size _____
Price _____ TMK _____
Notes _____
_____
_____
_____

Figurine	
Hum No.	Size
Price	TMK
Notes	

Figurine	
Hum No.	Size
Price	TMK
Notes	

Figurine	
Hum No.	Size
Price	TMK
Notes	

Figurine _____
Hum No. _____ Size _____
Price _____ TMK _____
Notes _____
_____
_____
_____

Figurine _____
Hum No. _____ Size _____
Price _____ TMK _____
Notes _____
_____
_____
_____

Figurine _____
Hum No. _____ Size _____
Price _____ TMK _____
Notes _____
_____
_____
_____

Wayside Harmony   HUM 111

Figurine	
Hum No. _____	Size _____
Price _____	TMK _____
Notes _____
_____
_____

Figurine	
Hum No. _____	Size _____
Price _____	TMK _____
Notes _____
_____
_____

Figurine	
Hum No. _____	Size _____
Price _____	TMK _____
Notes _____
_____
_____

Figurine	
Hum No. _____	Size _____
Price _____	TMK _____
Notes _____
_____
_____
_____

Figurine	
Hum No. _____	Size _____
Price _____	TMK _____
Notes _____
_____
_____
_____

Figurine	
Hum No. _____	Size _____
Price _____	TMK _____
Notes _____
_____
_____
_____

She Loves Me, She Loves Me Not   HUM 174

Figurine _____
Hum No. _____ Size _____
Price _____ TMK _____
Notes _____
_____
_____
_____

Figurine _____
Hum No. _____ Size _____
Price _____ TMK _____
Notes _____
_____
_____
_____

Figurine _____
Hum No. _____ Size _____
Price _____ TMK _____
Notes _____
_____
_____
_____

Figurine _____
Hum No. _____ Size _____
Price _____ TMK _____
Notes _____
_____
_____
_____

Figurine _____
Hum No. _____ Size _____
Price _____ TMK _____
Notes _____
_____
_____
_____

Figurine _____
Hum No. _____ Size _____
Price _____ TMK _____
Notes _____
_____
_____
_____

Figurine _____
Hum No. _____ Size _____
Price _____ TMK _____
Notes _____
_____
_____
_____

Figurine _____
Hum No. _____ Size _____
Price _____ TMK _____
Notes _____
_____
_____
_____

Figurine _____
Hum No. _____ Size _____
Price _____ TMK _____
Notes _____
_____
_____
_____

Village Boy   HUM 51

Figurine _____
Hum No. _____ Size _____
Price _____ TMK _____
Notes _____
_____
_____
_____

Figurine _____
Hum No. _____ Size _____
Price _____ TMK _____
Notes _____
_____
_____
_____

Figurine _____
Hum No. _____ Size _____
Price _____ TMK _____
Notes _____
_____
_____
_____

Figurine _____
Hum No. _____ Size _____
Price _____ TMK _____
Notes _____
_____
_____
_____

Figurine _____
Hum No. _____ Size _____
Price _____ TMK _____
Notes _____
_____
_____
_____

Figurine _____
Hum No. _____ Size _____
Price _____ TMK _____
Notes _____
_____
_____
_____

Figurine _____
Hum No. _____ Size _____
Price _____ TMK _____
Notes _____
_____
_____
_____

Figurine _____
Hum No. _____ Size _____
Price _____ TMK _____
Notes _____
_____
_____
_____

Figurine _____
Hum No. _____ Size _____
Price _____ TMK _____
Notes _____
_____
_____
_____

Figurine	
Hum No. _____	Size _____
Price _____	TMK _____
Notes _____
_____
_____
_____

Figurine	
Hum No. _____	Size _____
Price _____	TMK _____
Notes _____
_____
_____
_____

Figurine	
Hum No. _____	Size _____
Price _____	TMK _____
Notes _____
_____
_____
_____

Friends   HUM 136

Figurine	
Hum No.	Size
Price	TMK
Notes	

Figurine	
Hum No.	Size
Price	TMK
Notes	

Figurine	
Hum No.	Size
Price	TMK
Notes	

Figurine	
Hum No.	Size
Price	TMK
Notes	

Figurine	
Hum No.	Size
Price	TMK
Notes	

Figurine	
Hum No.	Size
Price	TMK
Notes	

Blessed Event   HUM 333

Figurine _____
Hum No. _____ Size _____
Price _____ TMK _____
Notes _____
_____
_____
_____

Figurine _____
Hum No. _____ Size _____
Price _____ TMK _____
Notes _____
_____
_____
_____

Figurine _____
Hum No. _____ Size _____
Price _____ TMK _____
Notes _____
_____
_____
_____

Figurine _____
Hum No. _____ Size _____
Price _____ TMK _____
Notes _____
_____
_____
_____

Figurine _____
Hum No. _____ Size _____
Price _____ TMK _____
Notes _____
_____
_____
_____

Figurine _____
Hum No. _____ Size _____
Price _____ TMK _____
Notes _____
_____
_____
_____

Figurine	
Hum No.	Size
Price	TMK
Notes	

Figurine	
Hum No.	Size
Price	TMK
Notes	

Figurine	
Hum No.	Size
Price	TMK
Notes	

Figurine	
Hum No.	Size
Price	TMK
Notes	

Figurine	
Hum No.	Size
Price	TMK
Notes	

Figurine	
Hum No.	Size
Price	TMK
Notes	

We Congratulate   HUM 220

Figurine _____
Hum No. _____ Size _____
Price _____ TMK _____
Notes _____
_____
_____
_____

Figurine _____
Hum No. _____ Size _____
Price _____ TMK _____
Notes _____
_____
_____
_____

Figurine _____
Hum No. _____ Size _____
Price   TMK
Notes _____
_____
_____
_____

Figurine	
Hum No. _____	Size _____
Price _____	TMK _____
Notes _____
_____
_____
_____

Figurine	
Hum No. _____	Size _____
Price _____	TMK _____
Notes _____
_____
_____
_____

Figurine	
Hum No. _____	Size _____
Price _____	TMK _____
Notes _____
_____
_____
_____

Favorite Pet   HUM 361

Figurine _____
Hum No. _____ Size _____
Price _____ TMK _____
Notes _____
_____
_____
_____

Figurine _____
Hum No. _____ Size _____
Price _____ TMK _____
Notes _____
_____
_____
_____

Figurine _____
Hum No. _____ Size _____
Price _____ TMK _____
Notes _____
_____
_____
_____

| Figurine _____ |
| Hum No. _____ Size _____ |
| Price _____ TMK _____ |
| Notes _____ |
| _____ |
| _____ |
| _____ |

| Figurine _____ |
| Hum No. _____ Size _____ |
| Price _____ TMK _____ |
| Notes _____ |
| _____ |
| _____ |
| _____ |

| Figurine _____ |
| Hum No. _____ Size _____ |
| Price _____ TMK _____ |
| Notes _____ |
| _____ |
| _____ |
| _____ |

Figurine	
Hum No.	Size
Price	TMK
Notes	

Figurine	
Hum No.	Size
Price	TMK
Notes	

Figurine	
Hum No.	Size
Price	TMK
Notes	